# 狐狸学老虎
## HÚLI XUÉ LǍOHǓ

方轶群 写　詹同 画

贵州出版集团公司 ▪ 贵州人民出版社

狐狸在睡觉，忽然跑来一
大一小两只老虎，狐狸听他们
说要到河对面去捉野牛吃。

狐狸吓得直发抖，想逃走，但转念又想：要是我能偷偷学会怎么捉野牛吃，也好。

大老虎竖尾巴，扭屁股，把肚子贴在地上，让小老虎爬上他的背。

大老虎轻轻一跳，跳过了河，把小老虎带了过去。

野牛正低头吃草，一
点儿也不知道老虎已经跑
到他背后，准备吃掉他。

大老虎眼睛发出绿光，嘴巴露出牙齿，毛发竖立起来，他要扑过去捉住野牛了。

大老虎跳起来，很高很高，扑过去，很猛很猛，把野牛扑倒，咬死了。

大老虎和小老虎美美地吃了一顿。
狐狸馋得口水都流出来了。

狐狸跑来跑去，一边跑一边喊："学会了，学会了。学会跳过河，学会捉野牛了！"

猫睡得正香，狐狸弄醒了他，说："我学会捉野牛了。我请你吃野牛肉！"

猫不信狐狸的话。

狐狸不管猫信不信，拉了他就跑。

他们跑到河边，猫看见河面很宽，怕跳不过。
狐狸说："不怕，我背你跳过去。"

狐狸学着老虎的样子，竖起了尾巴，扭动着屁股，把肚子贴在地上，叫猫爬上他的背。

狐狸问：“我像不像老虎？”猫说：“不像！”
狐狸发火了，要咬猫。猫连忙说：“像，像，像！”

狐狸使足力气，拼命一跳。

可是，扑通！狐狸和猫一起掉进了河里。

他们在河里挣扎着，游啊游啊，快要沉到河底去了。

后来，他们好不容易游到岸边，费劲地爬上岸，才没淹死。

狐狸埋怨猫说："都怪你，说我不像老虎，才掉到河里的。你再说不像，我就咬死你！"

他们到处跑，找不到野牛，连兔子也没见一只。
后来，他们看见一头驴子在吃草。

狐狸挨近驴子，装出老虎的样子，问猫："像不像？"
猫不敢说不像，只好说："很像！"

狐狸跳起来，扑过去，撞在驴子的屁股上，一口咬住了驴子的尾巴。

驴子狠狠地踢了狐狸一脚，踢得狐狸哇哇直叫，没命地逃走了。

猫眯缝着眼睛，笑得合不拢嘴。

经过多方努力，我们还是没有联系到本书的文字作者。在这里我们衷心希望，看到此书的任何人，能为我们转达一个愿望：请本书的文字作者或其亲人与我们联系，我们将寄送稿费和样书，谢谢！

地址：北京市朝阳区建国路88号现代城1-1601　贵州人民出版社北京图书中心

邮编：100022

Email：pgy100@sina.com

**图书在版编目（CIP）数据**

中国优秀图画书典藏系列之詹同/詹同绘.—贵阳：贵州人民出版社，2009.11
ISBN 978-7-221-08756-0
Ⅰ.①中… Ⅱ.①詹… Ⅲ.①图画故事—中国—当代 Ⅳ.I287.8

中国版本图书馆CIP数据核字（2009）第195344号

## 狐狸学老虎

| | | | |
|---|---|---|---|
| 出品人 | 曹维琼 | 电　话 | 010-85805785（编辑部） |
| 策　划 | 远流经典文化 | | 0851-6828477（发行部） |
| 执行策划 | 颜小鹏　李奇峰 | 网　址 | www.poogoyo.com |
| 责任编辑 | 苏桦　谭萌 | 印　制 | 北京国彩印刷有限公司（010-69599001） |
| 设计制作 | 曾念 | 版　次 | 2009年12月第一版 |
| 出　版 | 贵州出版集团公司 | 印　次 | 2009年12月第一次印刷 |
| | 贵州人民出版社 | 成品尺寸 | 200mm×210mm　1/16 |
| 地　址 | 贵阳市中华北路289号 | 印　张 | 13 |
| | | 定　价 | 48.00元（全五册） |